ÉTICA Y DEONTOLOGÍA FORENSE

PARA PERITOS SOCIALES

Título: Ética y Deontología Forense para Peritos Sociales.

© Laura Crous i Gonzàlez, 2020.

Edición e impresión por BoD – Books on Demand
info@bod.com.es – www.bod.com.es
Impreso en Alemania – Printed in Germany
ISBN: 9788413262703

ÍNDICE

PARTE INTRODUCTORIA

PARTE PRIMERA: LA ÉTICA Y LA DEONTOLOGÍA EN CIENCIAS SOCIALES FORENSES

PARTE SEGUNDA: SECRETO PROFESIONAL Y CONFIDENCIALIDAD EN LA ACTUACIÓN SOCIAL FORENSE.

PARTE TERCERA: LA ÉTICA DEL PERITO ANTE LA TOMA DE DECISIONES.

PARTE INTRODUCTORIA

1. INTRODUCCIÓN.

La presencia de profesionales del ámbito social como especialistas judiciales en el Estado Español se hace de forma paulatina.

Desde mediados del siglo XX la figura del psicólogo forense tiene su aparición y reconocimiento en el ámbito judicial. Sin embargo, para profesionales del Trabajo Social y de la Educación Social, su reconocimiento en la Administración de Justicia como expertos en ciencias sociales forenses ha sido más lento y progresivo, siendo relativamente reciente su consolidación en los equipos Técnicos y Psicosociales que dependen de la misma Administración.

El ejercicio pericial de los profesionales de Trabajo Social y de Educación Social como Forenses Sociales se orienta al auxilio de los órganos judiciales mediante valoraciones psicosociales del contexto personal y social en el que se encuentran los sujetos involucrados en causas judiciales para los que los jueces o magistrados requieren de conocimientos expertos para resolver sobre una causa.

Cuando hablamos de *perito* nos referimos al término evolucionado de *"peritus"*, originario del latín, que refiere a la persona experimentada en una ciencia o arte y que valora una situación en base a sus saberes.

En derecho procesal, la Ley 1/2000, de 7 de Enero, de Enjuiciamiento Civil, describe la figura del perito como la persona que posee conocimientos científicos, técnicos o prácticos para valorar hechos o circunstancias relevantes en un proceso o adquirir certeza sobre ellos (art. 335).

La definición de competencias de los profesionales de ámbito social como especialistas judiciales en el ámbito forense requiere del conocimiento de un marco ético establecido que contempla la legislación vigente y que orienta la actuación pericial.

El conocimiento y la aplicación de la ética y la deontología forense en la actuación del profesional en su rol como perito será lo que le reporte el reconocimiento por su *"buen hacer"* y su *"buen saber"*.

2. MARCO LEGISLATIVO ESTATAL REGULADOR DE LA PRÁCTICA PERICIAL.

En el espacio nacional, las leyes procesales vigentes regulan la actuación pericial en el marco jurídico y en cada una de las jurisdicciones:

- Ley Orgánica del Poder Judicial se contemplaba que:
  "... podrán prestar servicios en la Administración de Justicia los profesionales y expertos que sean permanente u ocasionalmente necesarios para auxiliarla." (Art. 508.1); estableciendo que "también podrán ser contratados en régimen laboral por el Ministerio de Justicia" (art. 508.3).

- Ley 1/2000, de 7 de enero, de Enjuiciamiento Civil (L.E.C.), que entró en vigor el día 8 de enero de 2001, y que ha sido modificada por la Ley 42/2015, de 5 de octubre (Artículo 124 al 128 y del artículo 335 al 352).

- Real Decreto de 14 de septiembre de 1882 que aprueba la Ley de Enjuiciamiento Criminal (LECri): del artículo 456 al 485, del artículo 661 al 663, del 723 al 725 y del artículo 334 al 367.

- Ley 4/2015, de 27 de abril, del Estatuto de la víctima del delito.

- Real Decreto Legislativo 2/1995, de 7 de abril, que aprueba la Ley de Procedimiento Laboral (LPL): Artículos 93 y 95.

- La Ley 29/1988, de 13 de julio, reguladora de la Jurisdicción Contencioso-Administrativa (LJCA), legisla la colaboración de la figura del experto pericial: Artículos 60.6 y 61.5.

Existe otro marco legal estatal que contempla y regula la actuación del perito en el ordenamiento jurídico:

- Ley Orgánica 19/1994, de 23 de diciembre, de protección de testigos y peritos en causas criminales.

- Ley Orgánica 5/1995, de 22 de mayo, del Tribunal del Jurado.

- Ley 1/1996, de 10 de enero, de Asistencia Jurídica Gratuita.

- Ley 5/2000, de 12 de enero, reguladora de la responsabilidad penal de los menores (modificada por la Ley 8/2006, de 4 de diciembre).

3. EL MÉTODO CIENTÍFICO EN CIENCIAS SOCIALES FORENSES CON PERSPECTIVA ÉTICA.

En la práctica pericial el perito social forense tiene como responsabilidad profesional ejercer como especialista auxiliando en lo que sea requerido a la autoridad judicial, así como asistirla mediante la petición de las partes implicadas en un proceso judicial, bajo los principios éticos reguladores de la actuación social declarados en los códigos deontológicos de la profesión:

- Respeto activo a la persona o grupo o comunidad.
- Aceptación de la persona.
- Superación de prejuicios y estereotipos.
- Ausencia de juicios de valor.
- Individualización.
- Personalización, como sujeto activo.
- Promoción de la persona.
- Igualdad de oportunidades, derechos y equidad de participación.
- Solidaridad.

11

- Justicia social.

- Reconocimiento de los derechos humanos y sociales y su concreción en el ejercicio real de los mismos.

- Autonomía.

- Autodeterminación.

- Responsabilidad y corresponsabilidad con la persona y las instituciones.

- Coherencia profesional.

- Colaboración profesional.

- Integridad, reconociendo los límites de la vida personal y profesional y no aprovecharse de su posición o cargo para la obtención de beneficios personales.

De este modo, el perito social deberá reconocer los límites de su actuación en la valoración técnica de la situación que es objeto de estudio de manera coherente al ejercicio profesional forense, en reconocimiento de los derechos humanos y sociales que amparan al sujeto de evaluación.

La actuación pericial en ciencias sociales forenses estará reconocida por la práctica ética de aplicación en todas las fases del procedimiento de estudio y evaluación forense del método científico aplicado por el perito:

I.   Fase de pre-estudio.

II. Fase de programación o planificación y diseño.

III. Fase de estudio e investigación.

IV. Fase de valoración forense y diagnosis.

V.   Fase de ejecución.

En la praxis pericial el profesional deberá ser cuidadoso en su actuación ética en cada una de las fases en lo concerniente:

- Al cumplimiento previo de los requisitos para la actuación pericial que establece la Ley.

- La evaluación del origen de la demanda puesto que puede ser motivo de tacha o recusación, y aceptación del encargo.

- La valoración objetiva e imparcial de los hechos expuestos y sobre los que debe centrar su pericial lejos de prejuicios y en reconocimiento de los derechos humanos y sociales que deben amparar al sujeto/grupo.

- La aplicación del método científico para la obtención de

resultados objetivos e imparciales para impedir ser objeto de impugnación de su actuación y/o de su dictamen.

- La aplicación de elementos metodológicos (técnicas, herramientas documentales, herramientas instrumentales, bibliografía o webgrafía, etc…) que permitan la valoración objetiva del objeto de la pericial y muestren la imparcialidad profesional.

- La legitimidad del uso de metodología propia de la disciplina, lo que protegerá al forense de la impugnación del dictamen por la comisión de intrusismo profesional.

- Al respeto a la información y datos personales obtenidos durante el estudio, reconocidos por el derecho a la intimidad y regulados por principios de confidencialidad y de secreto profesional, así como el marco legal regulador de Protección de Datos de Carácter Personal.

- Al sistema de recogida de datos y de guarda de la información según lo establecido por la Ley Orgánica

5/1999, de 13 de Diciembre, de Protección de Datos de Carácter Personal (LOPD) y el Reglamento (UE) 2016/679 del Parlamento Europeo y del Consejo, de 27 de Abril de 2016, relativo a la protección de las personas físicas en lo que respecta al tratamiento de datos personales y a la libre circulación de estos datos y por el que se deroga la Directiva 95/46/CE (Reglamento General de Protección de Datos).

- Al contenido del informe o dictamen pericial forense.

- A la formulación de conclusiones de acuerdo con el ejercicio pericial que desarrolle, siendo éste diferente en casos de actuación de oficio o a instancia de parte.

- A los límites de la confidencialidad y del secreto profesional en la práctica forense (delimitado normativa-mente por los códigos deontológicos y legislativamente).

- A la regulación relativa a la comparecencia en Sala para su declaración: su obligatoriedad ante el requerimiento, contenido, límites, protocolos de actuación, actitud y comportamiento.

- A la legitimidad de autoría del dictamen pericial.

PARTE PRIMERA

LA ÉTICA Y LA DEONTOLOGÍA EN

CIENCIAS SOCIALES FORENSES

1. ÉTICA Y DEONTOLOGÍA.

El concepto de ética proviene del término griego *"êthos"* que significa *"costumbre"*.

La ética es una disciplina que trata los problemas de la conducta de los sujetos vinculada al estudio de la moral y de la acción humana. Esta rama filosófica estudia los comportamientos sociales y se encarga de distinguir las conductas de las personas que son deseables para reglamentarlas.

La ética se centra en las normas y principios morales y en los valores. Estudia el comportamiento de las personas para que su actuación sea lo deseable.

En palabras de Rodríguez (2004) la ética es entendida como la forma de actuar coherente, constante y permanente del hombre para llevar a cabo lo bueno.

La ética pretende construir una moral universal y transcultural especificando diversas dimensiones del comportamiento y estableciendo qué es lo bueno y qué es lo malo, lo correcto y lo incorrecto, lo aceptado y lo prohibido.

La moral tiene un significado determinado para cada cultura y sociedad. La moral incluye costumbres, normas, valores que orientan la conducta de los individuos.

El conjunto de costumbres existentes en una sociedad están sistematizadas y ordenadas basándose en lo bueno y lo malo, lo que está bien y lo que está mal, y gobiernan la sociedad en consonancia a los valores que insta.

França-Tarrago (1996) señala que no existe un criterio universal para diferenciar los conceptos de ética y moral. Sin embargo, se puede hablar por igual de Ética o de Filosofía Moral. Este mismo autor señala (2002) que la ética o la filosofía moral es la disciplina que reflexiona de forma sistemática y metódica sobre el sentido, validez y licitud de los actos humanos individuales y sociales en la convivencia social.

Molina, A. (2011) distingue los conceptos de "La Ética" o "La Moral" empleada como sustantivo y como adjetivo. En el primer caso, el uso de la ética o de la moral como sustantivo lo refiere al saber específico dentro de las disciplinas humanas que tienen como objeto la fundamentación racional de lo que debe ser la responsabilidad del ser humano para alcanzar lo bueno o lo correcto. El empleo de la "Ética" o "Moral" como adjetivo, explica Molina, A., juzga la cualidad de determinadas acciones de los individuos respecto a la manera que estos ejercen su responsabilidad frente a los valores, principios y normas morales.

La ética se distingue de la moral por no estudiar un modelo moral sino "lo moral", sin que esta se limite a una moral determinada, individual.

Moral	Ética
Nace en el seno de una sociedad y por tanto, ejerce una influencia muy poderosa en la conducta de cada uno de sus integrantes	Surge en la interioridad de una persona, como resultado de su propia reflexión y su propia elección. Pueden coincidir o no con la moral recibida.
Actúa en la conducta desde el exterior o desde el inconsciente.	Influye en la conducta de una persona de forma consciente y voluntaria.

Ejerce presión externa y destaca su aspecto coercitivo, impositivo y punitivo.	Destaca la presión del valor captado y apreciado internamente como tal. El fundamento de la norma ética es el valor, no el valor impuesto desde el exterior, si no el descubierto internamente en la reflexión de un sujeto.

www.deontologia.org. Publicado: 6 de Octubre 2016

1.1.   ÉTICA PROFESIONAL Y DEONTOLOGÍA.

La **ética profesional** forma parte de la **ética aplicada** puesto que refiere una parte específica de la realidad.

La **ética profesional** es el conjunto de **normas** morales que se realizan en el marco de una actividad laboral.

Esta ética marca pautas de conducta para el desempeño de las funciones propias de un profesional dentro de un marco moralista.

La ética en el terreno profesional puede mostrarse en Códigos Deontológicos y Códigos Profesionales a través de principios y valores. De este modo, la ética profesional estudia las normas que infieren en la deontología profesional.

La **Deontología** forma parte de lo que se conoce como **ética normativa** y presenta una serie de principios y reglas de obligado cumplimiento.

El término de Deontología como tal, es un vocablo acuñado por el filósofo inglés Jeremy Bentham (1834). Proviene de la palabra griega "*Deóntos*" que significa "deber", y del sufijo "-logia" que se traduce como "saber", como "*ciencia*"; y que Bentham define como "*ciencia de los deberes*" o "*teoría de las normas morales*".

La deontología emerge como una disciplina que se encarga de definir normas en el ámbito profesional para alcanzar un fin.

Como ya hemos expuesto, la ética alude a lo que es deseable en detrimento de lo que no debe hacerse. En cambio, la deontología cuenta con los útiles administrativos que garantizan la actuación ética del y de la profesional.

Para Bentham, la deontología se aplica básicamente en la esfera de la moral, o lo que es lo mismo, en las conductas del hombre que no forman parte del control de la legislación pública. Este planteamiento justifica la elaboración de Códigos Deontológicos para concretar la dimensión moral en aquellos comportamientos exigibles a los profesionales.

Derieux, E. mantuvo que, gracias a la deontología, la ética profesional adquiere un reconocimiento público, puesto que la moral individual se hace notable en el campo de la profesión.

Por lo tanto, debemos tener en cuenta las diferencias

existentes entre Ética Profesional y Deontología Profesional.

En el cuadro siguiente recogemos algunas características diferenciales entre deontología profesional y ética profesional:

Deontología Profesional	Ética profesional
Orientada al deber	Orientada al bien, a lo bueno
Recogida en normas y códigos "deontológicos"	No se encuentra recogida en normas ni en códigos deontológicos, está relacionada con lo que piensa el propio individuo (conciencia individual/profesional)
Esas normas y códigos son mínimos y aprobados por los profesionales de un determinado colectivo profesional	No es exigible a los profesionales de un determinado colectivo
Se ubica entre la moral y el derecho	Parte de la ética aplicada

www.deontologia.org. Publicado: 6 de Octubre 2016

2. ÉTICA Y DEONTOLOGÍA FORENSE.

La ética forense está enmarcada en una Ética Profesional donde las diversas normas establecidas en el marco legal y procesal orientan la actuación del forense en base a los constructos que generan reflexiones sobre lo que está bien y lo que está mal en la actuación pericial.

La ética y la deontología del perito van más allá de los principios y artículos procedimentales recogidos en los códigos deontológicos colegiados que orientan la práctica del profesional en un marco asistencial. Las actuaciones del especialista judicial, orientadas al estudio, diagnosis y valoración forense, disponen de un marco específico regulador y protector para el profesional que en la actualidad no está contemplado en los citados códigos.

La actuación ética es una garantía y una protección para el experto que ante la falta o incumplimiento de uno de los criterios y principios legales establecidos para su actuación puede comportarle graves repercusiones disciplinarias, civiles y penales.

El rigor de la actuación pericial se rige por una serie de principios, derechos, deberes y obligaciones, responsabilidades recogidas en un marco legislativo y normativo exclusivo para el ejercicio pericial que confiere un carácter más concreto sobre la actuación del perito forense que la presente en los Códigos Deontológicos Colegiales actuales de las profesiones de ámbito social.

El rol asistencial del profesional del campo social dista de la actuación pericial en que se encuadra en un proceso metodológico exclusivo regido por unas normas de conducta establecidas en las disposiciones legales y que disponen de un carácter general para las actuaciones periciales.

El contexto social cambiante ha generado un nuevo marco legislativo que apoya los cada vez más requerimientos judiciales y extrajudiciales de valoraciones forenses del ámbito social.

En el Estado Español la actuación del perito está regulada principalmente por el carácter supletorio de la Ley 1/2000, de 7 de enero, de Enjuiciamiento Civil, y de manera exclusiva en la Sección 5a del libro II (artículos 335 al 352).

Para poder actuar como especialista judicial la L.E.C. establece en el artículo 340 que los peritos deberán poseer el título oficial que corresponda a la materia objeto de dictamen y a la naturaleza de este. Si se tratare de materias que no estén comprendidas en títulos profesionales oficiales, serán nombrados entre personas entendidas en aquellas materias.

La consideración del requerimiento de emisión de informe social determinará los límites y competencias del forense y definirá su actuación.

Frente a esta reciente realidad cabe distinguir entre el informe social con valor:

a) Asistencial
b) Legal
c) Pericial o Forense (dictamen social forense o pericial).

Ante esta reciente concepción, el profesional se encuentra desorientado delante de unas leyes constituyentes del "buen qué hacer" pericial que no se contemplan en los Códigos Deontológicos de las propias disciplinas, y que de forma habitual llegan a constituir importantes dilemas éticos.

Antes de abordar la cuestión de los dilemas éticos en la práctica pericial es de gran importancia considerar los principios, derechos, deberes y obligaciones, y responsabilidades del perito. El conocimiento de estas conclusiones ayudará en muchas ocasiones a clarificar o a resolver el dilema con el que se encuentre el especialista forense.

2.1. PRINCIPIOS EN LA ÉTICA FORENSE DEL PERITO.

Las acciones del forense social deben de estar orientadas por un conjunto de principios éticos. La vulneración de estos principios éticos puede ser entendida como una falta y/o delito.

Los principios básicos y fundamentales que rigen la actuación forense son:

Principio de Objetividad. La objetividad es uno de los principios que debe estar presente desde el momento en el cual el perito acepta el encargo hasta la emisión y ratificación en Sala de su dictamen.

***Principio de Imparcialidad* o *neutralidad*.** Implica estar libre de prejuicios abstrayéndose de consideraciones subjetivas y centrándose en aspectos objetivos.

El perito forense deberá evitar mostrar la parcialidad hacia alguna de las partes, mostrándose neutral ante el objeto de la pericial.

Los principios de Objetividad e Imparcialidad deben orientar la práctica pericial como recoge el juramento que debe prestar el experto judicial y que reza el artículo 335.2 de la Ley 1/2000, de 7 de enero, de Enjuiciamiento Civil:

Al emitir el dictamen, todo perito deberá manifestar, bajo juramento o promesa de decir verdad, que ha actuado y, en su caso, actuará con la mayor objetividad posible, tomando en consideración tanto lo que pueda favorecer como lo que sea susceptible de causar perjuicio a cualquiera de las partes, y que conoce las sanciones penales en las que podría incurrir si incumpliere su deber como perito.

Así mismo, en la actuación social pericial, y relacionado con los principios de objetividad e imparcialidad o neutralidad, deben imponerse los principios de Justicia, de Competencia, de Honestidad, de Responsabilidad y de Confidencialidad.

Principio de Justicia por el cual el perito social deberá tratar con equidad, sin segregar, discriminar o marginar al sujeto o sujetos de estudio.

Principio de Competencia aludiendo a la capacidad, habilidad o responsabilidad que el forense puede tener de un asunto, llegando a ser un medidor de la responsabilidad de este. El perito deberá disponer de los conocimientos requeridos para realizar la pericial y así poder emitir un dictamen defendible con criterios técnicos.

Principio de Honestidad como virtud que caracteriza al perito por el respeto a las buenas costumbres, a los principios morales y a los bienes ajenos. La honestidad debe regir toda conducta del experto judicial, y debe estar dirigida a uno mismo, a su profesión y hacia la persona clienta, fuere física o jurídica.

Principio de Responsabilidad en el cumplimiento de las obligaciones entendidas estas como la conciencia acerca de las consecuencias de los deberes asumidos o no asumidos.

Principio de Confidencialidad por el que se debe garantizar que la información obtenida durante el ejercicio forense será accesible solo para aquellas personas o estamentos autorizados a su acceso.

La información explorada durante el estudio forense deberá quedar definida por el objeto de valoración de la pericial. Torres (2002) refiere que el profesional deberá esforzarse por mantener la confidencialidad de cualquier información que no tenga que ver con los propósitos legales de la evaluación.

3. DERECHOS, DEBERES Y RESPONSABILIDADES DEL PERITO.

El profesional del campo de lo social en su ejercicio como perito está sujeto a una serie de derechos, deberes y obligaciones y responsabilidades.

El conjunto de estos elementos sostienen la buena praxis pericial.

3.1. DERECHOS DEL PERITO.

El perito social forense dispone de derechos básicos reconocidos. Estos derechos se reducen a:

- Derecho a ser nominado.
- Derecho a la retribución por sus servicios.
- Derecho al acceso a los recursos necesarios para realizar el estudio forense.
- Derecho al reconocimiento, al buen nombre y al prestigio profesional.
- Derecho a abstenerse de emitir el dictamen cuando se dé

alguna de las causas contempladas legislativamente y por las que el perito pueda ser tachado o recusado.

3.2. DEBERES Y OBLIGACIONES DEL PERITO.

El marco legislativo y normativo confiere un conjunto de deberes y obligaciones propias del perito que regulan su conducta.

El forense social está sujeto a una serie de deberes y obligaciones, entre los que se encuentran el deber de:

- Elaborar un dictamen pericial comprometido y objetivo.
- Presentar el dictamen pericial dentro del plazo solicitado, y nunca superior a un periodo de 3 meses.
- Emitir dictamen correcto en su forma.
- Prestar juramento y actuar de manera objetiva e imparcial (art. 335.2 de L.E.C).
- Ratificar el dictamen emitido cuando así le sea requerido.
- Comparecer en el acto judicial en el lugar, día y hora en

el que sea citado.

- Mantener la confidencialidad de la información obtenida

- Guardar secreto profesional.

3.3. RESPONSABILIDADES DEL PERITO.

La responsabilidad del forense se caracteriza por la asunción de las consecuencias que se deriven de las decisiones adoptadas de manera consciente y de la manera de responder ante estas.

El grado de responsabilidad puede ser muy amplio. Así, el perito social forense puede incurrir en diferentes tipos de responsabilidad en función del tipo de incumplimiento en sus deberes u obligaciones.

Al hablar de los diferentes tipos de responsabilidades del perito contemplamos tres tipos de responsabilidad pericial:

a). Responsabilidad penal.

b). Responsabilidad civil.

c). Responsabilidad disciplinaria.

35

a). LA RESPONSABILIDAD PENAL DEL PERITO.

Existe un conjunto de compromisos periciales reglamentados que conllevan responsabilidad penal.

Las responsabilidades penales a las que se debe el forense social quedan reguladas en el Código Penal, donde se establecen las sanciones aplicables ante su quebrantamiento. Dentro de las responsabilidades penales en las que podría incurrir el experto forense podemos citar:

1. Recibir o solicitar dádiva, favor o retribución en el ejercicio de su cargo.

El artículo 423 de la Ley Orgánica 1/2015, de 30 de marzo, por la que se modifica la Ley Orgánica 10/1995, de 23 de noviembre, del Código Penal establece la afectación a los peritos de lo redactado en los artículos 419 y 420:

«La autoridad o funcionario público que, en provecho propio o de un tercero, recibiere o solicitare, por sí o por persona interpuesta, dádiva, favor o retribución de cualquier clase o aceptare ofrecimiento o promesa para realizar en el ejercicio de su cargo un

acto contrario a los deberes inherentes al mismo o para no realizar o retrasar injustificadamente el que debiera practicar, incurrirá en la pena de prisión de tres a seis años, multa de doce a veinticuatro meses, e inhabilitación especial para empleo o cargo público y para el ejercicio del derecho de sufragio pasivo por tiempo de nueve a doce años, sin perjuicio de la pena correspondiente al acto realizado, omitido o retrasado en razón de la retribución o promesa, si fuera constitutivo de delito.» (Art. 419).

«La autoridad o funcionario público que, en provecho propio o de un tercero, recibiere o solicitare, por sí o por persona interpuesta, dádiva, favor o retribución de cualquier clase o aceptare ofrecimiento o promesa para realizar un acto propio de su cargo, incurrirá en la pena de prisión de dos a cuatro años, multa de doce a veinticuatro meses e inhabilitación especial para empleo o cargo público y para el ejercicio del derecho de sufragio pasivo por tiempo de cinco a nueve años>>. (Art. 420).

2. Prestar falso testimonio.

La regulación del delito de falso testimonio con afectación a los peritos se establece en los artículos 459 y 460 del Código Penal.

El artículo 459 del Código Penal determina que si el perito faltare a la verdad en su testimonio será castigado con pena de prisión de tres meses a dos años y multa de 45 días a 6 meses y a la inhabilitación especial para su profesión o cargo público por un tiempo de 6 a 12 años:

"Las penas de los artículos precedentes se impondrán en su mitad superior a los peritos o intérpretes que faltaren a la verdad maliciosamente en su dictamen o traducción, los cuales serán, además, castigados con la pena de inhabilitación especial para profesión u oficio, empleo o cargo público, por tiempo de seis a doce años" (art. 459 C.P.).

"De igual modo serán castigados los actos de omisión o reserva de información obtenidos por el perito cuando el testigo, perito o intérprete, sin faltar sustancialmente a la verdad, la alterare con reticencias, inexactitudes o silenciando hechos o datos relevantes que le fueran conocidos, será castigado con la pena de multa de seis a doce meses y, en su caso, de suspensión de empleo o cargo público, profesión u oficio, de seis meses a tres años" (Art.460 C.P.).

3.   Alteración del orden público y de resistencia y obediencia a la autoridad.

Así mismo, el delito de Alteración del orden público y de resistencia y obediencia a la autoridad también tiene una afectación directa en la conducta del perito.

Los artículos 556 y 558 del C.P. tratan de los delitos en los que pudiera incurrir el perito si desobedeciera a la autoridad u ocasionara altercados de orden público.

"Serán castigados con la pena de prisión de tres meses a un año o multa de seis a dieciocho meses, los que, sin estar comprendidos en el artículo 550, resistieren o desobedecieren gravemente a la autoridad o sus agentes en el ejercicio de sus funciones, o al personal de seguridad privada, debidamente identificado, que desarrolle actividades de seguridad privada en cooperación y bajo el mando de las Fuerzas y Cuerpos de Seguridad.

Los que faltaren al respeto y consideración debida a la autoridad, en el ejercicio de sus funciones, serán castigados con la pena de multa de uno a tres meses" (Art. 556 C.P.).

"Serán castigados con la pena de prisión de tres a seis meses o multa de seis a 12 meses, los que perturben gravemente el orden en la audiencia de un tribunal o juzgado, en los actos públicos propios de cualquier autoridad o corporación, en colegio electoral, oficina o establecimiento público, centro docente o con motivo de la celebración de espectáculos deportivos o culturales. En estos casos se podrá imponer también la pena de privación de acudir a los lugares, eventos o espectáculos de la misma naturaleza por un tiempo superior hasta tres años a la pena de prisión impuesta" (art 558 CP).

b). LA RESPONSABILIDAD CIVIL DEL PERITO.

La actuación forense comporta un conjunto de responsabilidades civiles por las que se deberá regir su conducta.

La responsabilidad civil del forense social tiene su alcance sobre los daños materiales y morales, y las repercusiones y consecuencias que su conducta ocasione a las partes o terceros, por una falta de diligencia en su actuación pericial.

Diez-Picazo define la responsabilidad como «*la sujeción de una persona que vulnera un deber de conducta impuesto en interés de otro sujeto a la obligación de reparar el daño producido*».

La Responsabilidad Civil sobre el ejercicio pericial contempla:

- **Responsabilidad Contractual**.
Cuando la norma jurídica transgredida por el perito es una obligación establecida en una declaración de voluntad particular. Cuando la designación del profesional forense ha sido realizada a instancia de parte. Hay un contrato compromisorio entre ambas partes (perito-cliente).

- **Responsabilidad Extracontractual**.
La Responsabilidad Extracontractual se da cuando el especialista forense ha sido designado judicialmente y ha incumplido una norma jurídica que es una ley (en sentido amplio). En este supuesto no existe ninguna relación contractual entre el perito y el sujeto de valoración forense.

Dentro de la Responsabilidad extracontractual debemos distinguir dos tipos:

- **R. E. Delictual o penal:** Cuando el perjuicio ocasionado se da a causa de una acción tipificada como delito.

- **R.E. Casi-delictual o no dolosa:** Cuando el daño resulta derivado de una falta no voluntaria.

La responsabilidad que recae sobre el perito es la obligación del profesional de reparar el daño que ha ocasionado, sea sobre la misma causa o bien por su valor monetario como indemnización por los perjuicios.

c). LA RESPONSABILIDAD DISCIPLINARIA DEL PERITO.

La Responsabilidad Disciplinaria del perito social viene regulada por los Códigos Deontológicos de los Colegios Profesionales o Asociaciones a los que esté adscrito.

Las Asociaciones de peritos judiciales existentes en España disponen de Códigos de Ética y Códigos

Deontológicos para peritos.

Los Colegios Profesionales a los que pertenece el perito deben disponer de Códigos, Compendios o Recomendaciones para la actuación de peritos sociales.

El cumplimiento de la regulación normativa de la actuación pericial establecida en estos tipos de normativas comporta la Responsabilidad Disciplinaria del especialista judicial. Su incumplimiento puede acarrearle consecuencias legales de tipo disciplinario.

La responsabilidad disciplinaria, a menudo, es exigida por una reclamación particular inicial exigible, normalmente, previa demanda del particular perjudicado, o bien, de oficio, promovida por la propia Asociación o Colegio Profesional.

La responsabilidad disciplinaria pericial se puede dar:

- **Conjuntamente con la responsabilidad penal y civil**, como sanción complementaria.
- **Autónomamente**, cuando la conducta del perito infringe normas de ética y deontología profesional ante los Tribunales, Asociaciones o Colegios Profesionales, sin que

comporten una sanción penal o civil.

El incumplimiento de los derechos que supongan una responsabilidad disciplinaria puede conllevar la adopción de medidas por parte de la Asociación de Peritos o del Colegio Profesional.

En *faltas leves*, el perito inculpado deberá comparecer en audiencia para la imposición de cualquier sanción, y se abrirá expediente seguido de los trámites que se definen en el Reglamento de Procedimiento Disciplinario de la misma Asociación o Colegio Profesional.

Este procedimiento debe estar adaptado a lo que legisla la Ley 30/1992, de 26 de noviembre, sobre el Reglamento Jurídico de las Administraciones Públicas y el Procedimiento Administrativo Común, que en su artículo 1 cita que será aplicable en las actuaciones que realice la Asociación para la exigencia de responsabilidades disciplinarias en las que puedan incurrir los socios en caso de infracción de sus deberes profesionales periciales o deberes propios de su condición de asociados, sin perjuicio de la responsabilidad civil o penal exigible a los mismos.

La conducta del perito envuelve todo el proceso pericial o forense, desde el momento en el cual el experto recibe la demanda o encargo hasta, incluso, una vez finalizado el proceso judicial.

En la legislación procesal se establecen tres conceptos que enmarcan la responsabilidad del perito y orientan su proceder teniendo en consideración el origen de designa y el deber de actuación ética. Estas figuras son la *Recusación*, la *Tacha* y la *Abstención* de los peritos.

4. LAS FIGURAS JURÍDICAS DE LA TACHA, LA RECUSACIÓN Y LA ABSTENCIÓN DEL PERITO.

Como hemos expuesto en los apartados anteriores, el perito social deberá conocer y tener en consideración tanto sus derechos como los deberes y responsabilidades que se derivan del desarrollo de sus tareas.

Para velar por el cumplimiento de estos derechos y deberes, la legislación procesal vigente integra un triple mecanismo para poder hacer manifiesta la carente imparcialidad del especialista judicial con las figuras de la Abstención, la Recusación y la Tacha.

Estos conceptos jurídicos tienen como finalidad regular la independencia del perito en el desarrollo de las funciones que le son propias durante su ejercicio para poder ayudar a la persona que juzga a dictar una sentencia justa.

4.1. DE LA ABSTENCIÓN DEL PERITO.

La figura jurídica de la Abstención está regulada en el art. 105 de la L.E.C., y redactado por el apartado 48 del artículo 15 de la Ley 13/2009, de 3 de noviembre, de reforma de la legislación procesal para la implantación de la nueva oficina judicial.

La Abstención es la decisión del perito designado judicialmente de apartarse del procedimiento y de renunciar a emitir un dictamen pericial por la existencia de alguna causa que pueda influir en su decisión y cuestionar su objetividad e imparcialidad en el caso.

El perito deberá abstenerse de emitir dictamen siempre que el motivo esté razonado y justificado cuando se dé alguna de las causas establecidas legalmente por las que el perito pueda ser *recusado* del procedimiento.

La *Abstención* se podrá dar en cualquier momento del procedimiento, siempre de acuerdo al momento en que es conocedor de la causa por la que podría ser recusado.

Los motivos de abstención del perito se especifican en

las causas prescritas que regulan las leyes procesales sobre la recusación del mismo.

El artículo 105 de la L.E.C. establece que cuando el perito ha sido designado judicialmente, si la causa que puede motivar la abstención del experto existe en el momento de la designación, este no deberá aceptar el cargo.

El perito podrá manifestar que se abstiene de emitir dictamen de manera oral o escrita. En este caso, el perito será substituido en el mismo instante por un suplente (art 342.2 L.E.C).

Cuando se tenga conocimiento de la causa una vez el perito haya aceptado el cargo como perito, deberá exponer los motivos y abstenerse ante el juez. Una vez el magistrado recibe la comunicación de abstención del perito citará a las partes y quien haya realizado la designación decidirá sobre la aceptación de la abstención del especialista.

En base a la resolución adoptada por el magistrado no podrá presentar ningún recurso (art.105.2 L.E.C).

Como ya hemos comentado, la abstención afectará al perito que ha sido designado judicialmente, por lo tanto, las causas de la abstención del caso se dan cuando se den alguno de los supuestos descritos legislativamente y que sean objeto de recusación.

4.2. DE LA RECUSACIÓN DEL PERITO.

La afectación de la recusación tendrá su alcance en la figura del perito designado de oficio y a petición de las partes por el magistrado mediante sorteo.

No son constituyentes de recusación los peritos que hayan sido designados directamente por las partes.

La recusación de los peritos está regulada de los artículos 124 a 128 de la nueva L.E.C. y tiene su afectación a los peritos que están incursos en alguna de las circunstancias descritas en el art. 219 de la Ley Orgánica del Poder Judicial (L.O.P.J.) y que afectan a la consideración de su objetividad e imparcialidad en el asunto.

Son causa de recusación y, en su caso, de abstención

(art. 219 L.O.P.J, redactado por el apartado 43 del artículo único de la L.O. 19/2003, de 23 de diciembre, de modificación de la L.O. 6/1985, de 1 de julio, del poder judicial («B.O.E» 26 de diciembre) con vigencia: 15 de enero 2004):

- El vínculo matrimonial o situación de hecho asimilable y el parentesco por consanguinidad o afinidad dentro del cuarto grado con las partes o el representante del Ministerio Fiscal.

- El vínculo matrimonial o situación de hecho asimilable y el parentesco por consanguinidad o afinidad dentro del segundo grado con el letrado o procurador de cualquiera de las partes que intervengan en el pleito o causa.

- Ser o haber sido defensor judicial o integrante de los organismos tutelares de cualquiera de las partes, o haber estado bajo el cuidado o tutela de alguna de ellas.

- Estar o haber sido denunciado o acusado por alguna de las partes como responsable de algún delito o falta, siempre que la denuncia o acusación hayan dado lugar a la incoación de procedimiento penal y éste no haya terminado por sentencia absolutoria o auto de sobreseimiento.

- Haber sido sancionado disciplinariamente en virtud de expediente incoado por denuncia o a iniciativa de alguna de las partes.

- Haber sido defensor o representante de alguna de las partes, emitido dictamen sobre el pleito o causa como letrado, o intervenido en él como fiscal, perito o testigo.

- Ser o haber sido denunciante o acusador de cualquiera de las partes.

- Tener pleito pendiente con alguna de ellas.

- Amistad íntima o enemistad manifiesta con cualquiera de las partes.

- Tener interés directo o indirecto en el pleito o causa.
  Se podrá recusar al perito en cualquiera de los casos recogidos en el art. 219 L.O.P.J., siempre antes de la emisión de

su dictamen, y en dos momentos:

- En el momento de la designación del especialista forense.
- Cuando se dé alguna de las causas objeto de recusación.

4.2.1. LA RECUSACIÓN DE PERITOS EN LOS PROCEDIMIENTOS DE ÁMBITO CIVIL.

El procedimiento relativo a la recusación del especialista judicial en el procedimiento civil se encuentra regulado en los art. 125 a 128 de la L.E.C.

El art. 124.1 de la L.E.C. dice que "sólo los peritos designados por el tribunal mediante sorteo podrán ser recusados". Pero el artículo 343 de la misma ley, no limita la recusación de los peritos de oficio que han sido designados por sorteo exclusivamente. Va más allá y se refiere a todos los peritos de designación judicial, cuando han sido designados:

- Judicialmente por acuerdo de las partes (art. 339.4 L.E.C.). Por consentimiento de las partes en litigio cuando por la particularidad o especificidad del objeto pericial lo requiera y sólo se disponga del nombre de una persona experta (art. 341.2 L.E.C.).

- Cuando la persona en litigio no tenga recursos para hacer frente a los gastos de un procedimiento judicial, según el procedimiento establecido y regulado por la Ley de Asistencia Jurídica Gratuita (art. 339.1 L.E.C.), se nombrará de oficio por la misma persona que juzga en los casos establecidos en el art. 339.5 de la L.E.C .

Además de las causas de recusación reguladas en el art. 219 de la L.O.P.J., en los procedimientos civiles señala de manera específica que serán causas de recusación (art. 124.3 L.E.C.) :

- Haber dado anteriormente sobre el mismo asunto dictamen contrario a la parte recusante, ya sea dentro o fuera del procedimiento.

- Haber prestado servicio como perito al litigante contrario o ser dependiente o socios del mismo.

- Tener participación en sociedad, establecimiento o empresa que sea parte del procedimiento.

La Recusación se presentará en forma por escrito y deberá proponer y adjuntar los medios de prueba necesarios para su comprobación.

Cuando la causa se haya dado antes de la designación del especialista, la recusación deberá presentarse durante los dos días siguientes a la notificación del nombramiento.

Si la causa se da a posteriori a su nombramiento, el escrito de recusación deberá presentarse antes del Juicio o de la Vista. Después de este acto no se podrá recusar al perito, y por lo menos, se podrá realizar la exposición de motivos antes de que se dicte sentencia para que puedan ser valorados.

Ante estas alegaciones, el perito recusado tendrá que comparecer ante el Letrado de la Administración de Justicia, manifestando si es, o no, cierta la causa referida. En caso de ser cierta se designará otro perito. Si por el contrario, el perito niega tal aseveración se citará a las partes a una vista con las pruebas de las que se valga. Sobre lo razonado en la vista, el juez emitirá su resolución mediante sentencia. Esta resolución será firme y no se podrá recurrir (art. 105.2. L.E.C).

4.2.2. DE LA RECUSACIÓN DEL PERITO EN PROCEDIMIENTOS DEL ÁMBITO PENAL.

La recusación en procedimientos penales está regulada en la Ley de Enjuiciamiento Criminal (L.E.Cri).

El art. 723.1 de la L.E.Cri remite a los art. 468, 469 y 470 que tratan de las causas de recusación y sobre su procedimiento.

Además de los motivos representados en la L.O.P.J., los peritos pueden alegar causas específicas descritas en el art. 468 de la L.E.Cri:

1º. El parentesco de consanguinidad o de afinidad dentro del cuarto grado con el querellante o con el reo.

2º. El interés directo o indirecto en la causa o en otra similar.

3º. La amistad íntima o enemistad manifiesta.

Estas causas serán de aplicación en el Procedimiento Abreviado, en la Fase de Instrucción, en la Fase de Juicio Oral, y en peritos nombrados de oficio por el juez y por los nombrados por las partes (en la L.E.Cri no se habla de la Tacha).

La recusación se deberá presentar por escrito, y su tramitación se hará entre la admisión de las pruebas y el comienzo de las sesiones del juicio (art. 723.2 L.E.Cri).

En el momento de presentar el escrito de recusación se presentarán las pruebas documentales y los testigos.

El actor o el procesado que intente recusar al perito nombrado por el juez debe hacerlo por escrito antes de comenzar la diligencia pericial, expresando la causa de la recusación y la prueba testifical que ofrezca, y acompañando la documental o designar el lugar en el que ésta se encuentre si no la tiene a su disposición.

Para la presentación de este escrito no está obligado a valerse de procurador (art 469 L.E.Cri).

El artículo 470 de la L.E.C declara que el juez, sin interrumpir el trabajo, debe examinar los documentos que produzca el recusante y oirá a los testigos que presente en el acto, y resolver lo que estime justo respecto de la recusación.

Si se da a lugar, suspenderá el acto pericial por el tiempo estrictamente necesario para nombrar el perito que haya de sustituir al recusado, hacérselo saber y constituir el nombrado en el lugar correspondiente.

Si no lo admite, se procederá como si no se hubiera hecho uso de la facultad de recusar.

Cuando el recusante no produzca los documentos, pero designe el archivo o lugar en que se encuentren, se reclamarán por el Letrado de la Administración de Justicia, y el Juez instructor los examinará una vez recibidos sin detener por ello el curso de las actuaciones; y si de ellos resultase justificada la causa de la recusación, instalará el informe pericial que se hubiera dado, mandando que se practique de nuevo esta diligencia (art. 470 L.E.Cri).

4.2.3.LA RECUSACIÓN DE LOS PERITOS EN EJECU-CIONES SOCIALES.

Según lo legislado en el art. 89 del Real Decreto Legislativo 2/1995, de 7 de abril, por el que se aprueba el texto refundido de la Ley de Procedimiento Laboral, en los procedimientos sociales se mantiene la posibilidad de alegar la recusación del perito en el mismo acto de Juicio Oral.

De la misma manera que se podrán alegar causas de rechazo, y que serán resueltas por el juez en el mismo momento.

En cuanto a las pruebas admitidas y practicadas el artículo 89 de la L.P.L. declara en los apartados:

1. c) : (...)

3º. Relación de las incidencias planteadas en el juicio respecto a la prueba documental.

4º. Resumen suficiente de los informes periciales, así como de la resolución del Juez o Tribunal sobre las recusaciones propuestas de los peritos.

5º. Resumen de las declaraciones de los asesores, en caso de que su dictamen no haya sido elaborado por escrito e incorporado a las actuaciones.

2. El Juez o Tribunal resolverá, sin ulterior recurso, cualquier observación que se haga sobre el contenido del acta, seguidamente será firmada en unión de las partes, o de sus representantes o defensores y de los peritos, ahí deben hacer constar si alguno de ellos no firma por no poder, no querer hacerlo o porque no está presente, y finalmente será firmada por el Letrado de la Administración, que da fe.

La aplicación de lo ordenado en la L.E.C. en relación al procedimiento a actuar en casos de recusación de los peritos en los procedimientos laborales, contradeciría los principios de oralidad, inmediatez y celeridad que promueven las ejecuciones sociales.

4.3. DE LA TACHA DE LOS PERITOS.

Contrariamente a la Recusación que tiene por objeto impedir la presentación del dictamen pericial o forense, la Tacha tiene por finalidad evitar que un dictamen pericial pueda influir en la decisión del juez por la falta de objetividad de la persona que realiza la pericial en la emisión de su dictamen por la concurrencia de alguna de las causas reguladas en los art. 343.1 de la L.E.C.

A diferencia de la Recusación, con la Tacha no se pedirá la sustitución del especialista. A pesar de que a la persona que ha sido designada para peritar un caso haya sido objeto de Tacha no será apartada del procedimiento, podrá actuar pero con el consecuente descrédito de su pericia ante el magistrado cuando sean fundamentados los motivos de Tacha alegados.

4.3.1. LA TACHA DE LOS PERITOS EN LOS PROCEDIMIENTOS CIVILES.

La Tacha de peritos en procedimientos civiles viene regulada la nueva Ley de Enjuiciamiento Civil. Según el artículo 343.1 de la L.E.C. el perito designado por las partes podrá ser rechazado, y no recusado. Es decir, la persona experta podrá seguir actuando dentro del procedimiento aunque se haya cuestionado su imparcialidad.

La Tacha de los peritos está regulada en los artículos 343 y 344 de la L.E.C.

El artículo 343.1. de la L.E.C. determina cuáles son las causas de Tacha del perito:

1. Ser cónyuge o pariente por consanguinidad o afinidad, dentro del cuarto grado civil de una de las partes o de sus abogados o procuradores.

2. Tener interés directo o indirecto en el asunto o en otro similar.

3. Estar o haber estado en situación de dependencia o de comunidad o contraposición de intereses con alguna de las

partes o con sus abogados o procuradores.

4.   Amistad íntima o enemistad con cualquiera de las partes o de sus procuradores o abogados.

5.   Cualquier otra circunstancia, debidamente acreditada, que les haga desmerecer en el concepto profesional.

La Tacha deberá hacerse con la aportación de pruebas sobre las que se base. La ley prohíbe la prueba testifical para acreditar la causa de Tacha, haciendo referencia exclusiva a que se utilice la prueba documental.

La Tacha deberá formularse antes del Juicio (en el Juicio Ordinario), o de la Vista (en Juicios Verbales), sin que ello suponga la paralización del procedimiento, dado que no se contempla la sustitución o abstención del perito.

La Tacha de los peritos autores de los dictámenes presentados con la demanda o en respuesta en los Juicios Ordinarios se propondrá en la fase de la Audiencia Previa.

Cualquiera de las partes interesadas podrá dirigirse al tribunal para contradecir o negar la causa por la que es tachado. Estas, sin embargo, deberán aportar los documentos correspondientes a su efecto. Si la Tacha perjudica al perito, al final del procedimiento, este puede solicitar al Juez que declare, mediante Providencia, que la Tacha carece de fundamento.

Si el juez detecta en la Tacha deslealtad o temeridad, podrá imponer a la parte responsable, con previa audiencia, una multa comprendida entre los 60 y los 600 euros.

En función de la tacha, y de otros factores, la persona que juzga valorará si da crédito, o no, en el dictamen emitido por el perito.

4.3.2. LA TACHA DE LOS PERITOS EN PROCEDIMIENTOS SOCIALES.

En los procedimientos sociales, en temas laborales, la prueba es propuesta en la fase de Proposición de Pruebas dentro del Juicio Oral. Por lo tanto, al no conocer la autoría del dictamen aportado, no se pueden preparar las pruebas de la Tacha en el mismo momento, y se deberá aplicar lo legislado en el artículo 92.2 de la L.P.L. relativa a la prueba testifical en la que se dice que se podrán hacer observaciones respecto circunstancias personales y sobre la veracidad de las afirmaciones en la fase de conclusión de las partes.

PARTE SEGUNDA

SECRETO PROFESIONAL Y CONFIDENCIALIDAD

EN LA ACTUACIÓN SOCIAL FORENSE

1. SECRETO PROFESIONAL Y CONFIDENCIALIDAD.

El Secreto Profesional y la confidencialidad son las obligaciones legales a las que se encuentra sujeto el profesional social en el desempeño de su tarea. Del mismo modo, el forense social tiene el deber y la obligación de guardar secreto y de tratar confidencialmente la información de la que dispone por razón de su labor.

1.1. SECRETO PROFESIONAL

El Secreto Profesional es una obligación de confidencialidad.

El Secreto Profesional, como en otras disciplinas afines, es la obligación del perito social a guardar el secreto de la información obtenida durante el proceso de evaluación con los sujetos de estudio pericial. Sin embargo, el deber del perito forense a guardar secreto tiene sus límites y excepciones.

En las periciales el Secreto Profesional atañe a toda

aquella información relativa a lo que no es objeto de estudio forense. En este caso, el perito debe informar al Juez de toda la información que disponga relativa al encargo de la pericial o que forma parte del objeto de su valoración.

En el supuesto que durante la declaración del forense social en el momento de ratificación de su dictamen sea interrogado por aspectos no incluidos en la pericial y que correspondan a datos o informaciones personales del sujeto explorado que no repercutan en los resultados de su valoración, el especialista judicial deberá informar al Juez de su deber de guardar Secreto Profesional y de su derecho a Reserva.

Su Señoría, de considerar de importancia la información reservada, mediante Providencia solicitará que el perito social sea dispensado de su deber a preservar el Secreto con previa comunicación y autorización de la Junta de Gobierno del Colegio Profesional al que pertenece con previo asesoramiento del Comité de Ética y Deontología del mismo.

En cualquier caso, el sujeto de estudio deberá ser

informado de los límites del Secreto Profesional, y de la obligación del o de la forense a facilitar la información de la que es conocedor y que atañe a su valoración y encargo.

La información obtenida por el perito judicial y extrajudicial en el transcurso de las diligencias de estudio, análisis, inspecciones, etc. dentro del proceso de pericia que esté realizando no deberá revelarse a terceros, ni oralmente ni por escrito, de conformidad con las leyes pertinentes (artículo 3.2. del Código Deontológico de la ASPERJURE - Asociación Profesional Colegial de Peritos Judiciales del Reino de España.).

1.1.1. MODOS EN QUE PUEDE SER VULNERADO EL SECRETO PROFESIONAL.

El Secreto Profesional puede ser vulnerado directa o indirectamente y de manera consciente o inconsciente.

También se vulnera el secreto profesional cuando se frivoliza la información, siendo tratada con ligereza en una conversación informal.

Y en todos los casos quebranta el deber a la obligada reserva, y por tanto, en todos los casos es censurable.

1.2. CONFIDENCIALIDAD.

La Confidencialidad es un principio ético asociado a la acción social y a la actuación pericial.

La Confidencialidad es una información que pretende garantizar el acceso únicamente a las personas que están autorizadas (Organización Internacional de Estandarización ISO. Norma ISO/IEC27002).

Desde la posición del forense social se accede a la intimidad de las personas y se hace de información de carácter personal. Los códigos deontológicos y guías de buenas prácticas del ámbito pericial o forense contemplan que la información obtenida por el experto está sujeta a confidencialidad, y el profesional social forense posee el deber de garantizarla.

70

La Ley Orgánica 15/1999, de 13 de diciembre de Protección de Datos de Carácter Personal hace especial hincapié en los datos que son susceptibles de protección.

Aspectos como ideología, afiliación sindical, religión y creencias, conllevan un régimen sancionador jurídico.

Otros datos como el origen racial, la salud y la vida sexual, deben ser consentidos por escrito por la persona afectada.

Estos datos descritos son de carácter personal y únicamente pueden ser recogidos, tratados y transferidos cuando el sujeto dé su consentimiento expreso o por cuestiones de interés público quede dispuesto legislativamente.

2. MEDIDAS DE CUSTODIA DE LOS DATOS PERSONALES EN SOPORTE PAPEL.

Los documentos que contengan información relativa a terceros deben estar protegidos en archivos.

El sistema de archivo de documentación con contenido personal debe estar ubicado en lugares de acceso restringido así como en mobiliario con cerraduras y llaves que garantice su protección. El mueble que recoja estos documentos debe permanecer cerrado cuando no sea requerido el acceso a estos.

3. MEDIDAS DE CUSTODIA DE LA CONFIDENCIALIDAD DE DATOS PERSONALES INFORMATIZADOS.

Los datos personales recogidos en sistemas o programas informáticos deben disponer de licencias y contraseñas para su acceso que han de actualizarse periódicamente.

Las claves deben ser exclusivas, y no deben compartirse.

Es recomendable que sea el mismo forense quien registre la información sensible. Y de modo preventivo, cerrar las sesiones informáticas cuando no se esté presente.

4. EL CONTENIDO DE LOS DICTÁMENES FORENSES.

El dictamen social forense o pericial tiene el cometido de transmitir la información obtenida fruto de la valoración forense sobre el objeto de estudio de la pericial. Por lo tanto, la información contenida en el dictamen tiene un fin concreto y la información recogida debe responder a su objeto.

Se debe informar a la persona peritada y/o explorada del motivo y de la finalidad del trabajo del perito: su objeto de estudio, a quien va dirigido, la metodología empleada, y su finalidad.

En los casos en los que sea necesario tratar información sensible es recomendable recoger el consentimiento del sujeto por escrito.

De igual modo, el tratamiento de la información recogida en el dictamen pericial debe ser claro, evitando las interpretaciones.

Otra cuestión a tener en cuenta por el perito trata

sobre si el dictamen afecta a decisiones en menores maduros (no concernientes al objeto de la pericial), ya que puede darse la situación en las que la persona menor no desee que sus progenitores o representantes sean conocedores de alguna de las informaciones facilitadas. En esta situación el forense social deberá dejar constancia en el informe pericial o dictamen que se ha posibilitado introducir a la familia en la toma de decisiones.

Así mismo, en casos relativos a la guarda de menores, cuando la pericial es de parte y se valora incluir al menor en la valoración, el perito social debe obtener el consentimiento informado del otro progenitor para proceder a su peritación. Este supuesto tiene su excepción cuando el menor se encuentre en una situación de riesgo. En cualquier caso, el progenitor deberá ser informado, aun no obteniendo su consentimiento. Es conveniente que el proceso del consentimiento informado se realice por escrito y quede constancia de ello.

Cuando el sujeto de estudio forense sea una persona incapaz deberemos recabar el consentimiento de su representante legal. Esto no exime al forense de informar a las personas con autonomía limitada en función de la capacidad de comprensión, del motivo de nuestra actuación y de la transmisión de dicha información.

Cuando el sujeto de la pericial dispone de suficiente capacidad de conocimiento sobre las consecuencias de no revelar o de no autorizar la transmisión de información una vez haya sido informada, el perito respetará su opción amparado por el principio de autonomía de la persona, siendo el mismo sujeto quien asuma la responsabilidad de las consecuencias que de ello se deriven. Ante la decisión del sujeto, el forense deberá comunicar al Juez y dejar constancia en su dictamen pericial la posición del sujeto refiriendo lo que repercuta en su valoración.

5. AUTORIZACIÓN DE VULNERALIDAD DE LA CONFIDENCIALIDAD.

El perito forense, de acuerdo con el marco legislativo y normativo regulado en su Código Deontológico, podrá revelar la información de carácter personal considerada dentro de su actividad como confidencial cuando:

- Se den situaciones en las que pueda surgir dañada una tercera persona.
- Exista un imperativo legal.
- No transferir dicha información ponga en riesgo el bien público.
- Exista riesgo para terceras personas.
- Las personas que no dispongan de capacidad o competencia legal para dar su consentimiento, y el experto forense considere objetivamente la necesidad de proporcionar dicha información para evitar daños hacia su persona, a terceros y al bien público.

Además, el forense social, por la condición de su disciplina, podrá ser dispensado de guardar Secreto Profesional ante aquellas situaciones en las que se encuentre en riesgo la vida, la seguridad e integridad física, psicológica y social de las personas, haciendo extensa la información confidencial indispensable a quien corresponda.

El perito social amparado por los principios éticos y el código deontológico de la profesión podrá romper el Secreto Profesional ante situaciones de suma gravedad que implique un riesgo previsible e inminente para la persona, el mismo profesional o en terceras personas.

Así mismo, y de manera específica, el Código Deontológico publicado por el Consejo General de Trabajo Social en España (2012) establece que el profesional podrá vulnerar la confidencialidad cuando sea denunciado por la comisión de un delito o falta o la infracción del Código deontológico, si no existieran otras formas de defenderse.

El artículo 55 del mismo Código determina cuáles serán los principios jerárquicos para la ruptura del Secreto

Profesional:

a. Prioridad de protección de los derechos fundamentales de la persona usuaria o terceros especialmente protegidos por la Ley.

b. Principio de seguridad.

c. Principio de libertad de decisión.

El Secreto Profesional se mantiene incluso finalizado el proceso judicial y el fallecimiento de los sujetos involucrados.

6.   REGULACIÓN LEGISLATIVA DEL DERECHO A LA CONFIDENCIALIDAD.

El Derecho regula la confidencialidad mediante diversas disposiciones legislativas.

6.1. DERECHO INTERNACIONAL.

- Convenio del Consejo de Europa para la protección de los Derechos Humanos y la Dignidad del Ser Humano con respecto a las aplicaciones de la Biología y la Medicina, de 4 de abril de 1997: artículo 10.
- Carta de los derechos fundamentales de la Unión Europea, de 7 de diciembre de 2000: artículos II-67 y II-68.
- Convención sobre los derechos de las personas con discapacidad (Nueva York, 13 de diciembre de 2006): artículo 22.

6.2. DERECHO COMUNITARIO.

- Directiva 95/46/CE del Parlamento Europeo y del Consejo, de 24 de octubre de 1995, relativa a la protección de las personas físicas en lo que respecta al tratamiento de datos personales y a la libre circulación de estos datos.

6.3. DERECHO ESPAÑOL.

- Constitución Española: artículo 18.
- Sentencias del Tribunal Constitucional 290/2000 y 292/2000, de 30 de noviembre.
- Ley Orgánica 15/1999, de 13 de diciembre, de protección de datos de carácter personal (LOPD).
- Real Decreto 1720/2007, de 21 de diciembre, por el que se aprueba el Reglamento de desarrollo de la Ley Orgánica 15/1999, de 13 de diciembre, de protección de datos de carácter personal.
- Ley Orgánica 1/1996, de 15 de enero, de protección jurídica del menor.

- Ley Orgánica 1/1982, de 5 de mayo, de protección civil del derecho al honor, a la intimidad personal y familiar y a la propia imagen.

- Ley de Enjuiciamiento Criminal: artículos 262 y 462.
- Código Penal (Ley Orgánica 10/1995, de 23 de noviembre): artículos 197-201, 413-418, 20.5 y 20.7.

6.4. ESFERA SANITARIA Y DE SERVICIOS SOCIALES.

En el ámbito sanitario y social, el derecho dispone un marco legislativo regulador sobre la confidencialidad.

Derecho español

- Ley 14/1986, de 25 de abril, General de Sanidad: artículo 10.

- Ley 41/2002, de 14 de noviembre, básica reguladora de la autonomía del paciente y de derechos y obligaciones en materia de información y documentación clínica.

- Ley 44/2003, de 12 de noviembre, de ordenación de las profesiones sanitarias: artículos 4, 5 y 8.

- Ley 39/2006, de 14 de diciembre, de Promoción de la

Autonomía Personal y Atención a las personas en situación de dependencia: artículo 4.

6.5. CÓDIGOS DEONTOLÓGICOS.

Más próximos al ejercicio profesional encontramos los códigos deontológicos que deben ser aplicables en la actuación de los peritos sociales forenses:

- Principios Éticos del Trabajador Social: Federación Internacional de Trabajadores Sociales (FITS) y la Asociación Internacional de Escuelas de Trabajo Social (AIETS); Apartado 5.7.
- Código Deontológico del Trabajo Social, 2012. Consejo General de Trabajo Social. Artículos 11, 38, 44, 48, 49a, 49b, 50, 51, 52, 53, 54 y 55.
- Código Deontológico de Peritos Judiciales. ASPEJURE – Asociación Profesional Colegial de Peritos Judiciales del Reino de España. Artículo 3.

- Código Deontológico. Asociación Independiente de Peritos Judiciales. Capítulo 3, Artículos 24, 25 y 26.

- Código de conducta de los peritos judiciales. Asociación Española de Mediación y Peritación Judicial - AEMPJ (2012).

PARTE TERCERA

LA ÉTICA DEL PERITO ANTE LA
TOMA DE DECISIONES.

1. LAS DECISIONES ÉTICAS DEL PERITO.

El término *"Decisión"* proviene del vocablo latín *"decisio"*, y significa determinación o resolución que se adopta sobre una cuestión concreta.

Una decisión es el resultado último de un proceso mental cognitivo de un sujeto, por lo tanto, se trata de un proceso subjetivo. Este proceso, que denominamos "toma de decisiones" conlleva de manera secuencial un diagnóstico, análisis o estudio y una valoración que deriva en un resultado final que es la propia decisión.

El planteamiento cognitivo del sujeto puede ser una opinión, una regla o una tarea aplicada para ser ejecutada.

Con la toma de decisiones el sujeto adquiere un compromiso en el que se ve implicado.

El quehacer cotidiano conlleva la adopción de decisiones. En la vida profesional, al perito social se le pueden presentar multitud de cuestionamientos éticos que implique la toma de decisiones ante complejas situaciones. Las decisiones del forense social se reflejaran en sus acciones, en su conducta, y que podrán tener unas u otras repercusiones.

La dificultad de la toma de decisiones radica en diversos factores, por lo que el resultado de las acciones del y de la forense dependerán de:

– las particulares de sus actos,

– de los actos (conscientes o no conscientes) de otros sujetos, y

– de una diversidad de acontecimientos incontrolables.

En muchas ocasiones, las respuestas éticas de acierto ante las dificultades o dilemas éticos profesionales no se hallan en libros de ética ni en los Códigos Deontológicos, y depende del aprendizaje, de la adquisición y del desarrollo de la capacidad de respuesta de ética profesional del perito.

En la actuación forense, toda decisión comporta un elemento ético. El reconocimiento o prestigio y reputación del perito depende de su buena actuación en todas las fases del proceso de estudio forense, desde la recepción del encargo hasta incluso una vez ya haya finalizado el proceso judicial.

El perito se debe a la presunción de su experticia, de su reputación y de su prestigio transmitiendo la confianza de que sus actuaciones serán imparciales y objetivas, rigurosas en el empleo del método y exactas en el uso de la metodología.

La actividad del perito social forense debe fundamentarse en:

- el conocimiento científico-técnico,
- en el conocimiento de los principios para formular criterios éticos,
- en la capacitación para formular reflexiones éticas de manera adecuada para evaluar decisiones, y
- en desplegar las cualidades humanas primordiales (no implica tanto el saber hacer como el saber ser).

Como cita López Franco, M.A en su artículo *El deber y el ser profesional.* : *"la reflexión en torno a las actitudes y acciones estarán determinadas por las máximas expresiones de la correcta actitud que son los valores, determinaremos que en cada una de las profesiones, deben existir correspondencias con determinadas actitudes que se deben de tener en el ejercicio profesional, honradez, compromiso, disciplina, jerarquía, conocimiento, apertura para nuevos aprendizajes, ser capaz de aceptar el cambio en el paradigma de su misma ciencia, es decir el profesional como tal no debemos de negarnos al cambio, siempre tenemos que adaptarnos a los nuevos movimientos, estudiarlos y en su caso fortalecer el cambio o detenerlo si no habla de un avance significativo."*

Partiendo pues, de los previos legales expuestos, la conducta pericial es y debe ser asumida con gran prudencia y responsabilidad por parte de los peritos.

2. ELEMENTOS QUE INTERVIENEN EN LAS DECISIONES ÉTICAS.

Ante la toma de decisiones éticas identificamos tres elementos:

a) Diagnóstico de la situación.

b) Decisión de los objetivos o fines que se pretenden alcanzar.

c) Ejecución o realización.

a). DIAGNÓSTICO DE LA SITUACIÓN.

El diagnóstico de la situación viene dado por la identificación del profesional social forense del punto donde se encuentra, es decir, en qué momento o estado se halla el ente.

Una vez realizada la descripción de la situación en la que se encuentra el objeto o sujeto de estudio, el perito debe hacer frente a la parte más difícil: identificar el problema. Al identificar el problema surgirán problemas secundarios, coyunturales, implícitos, etc., que el forense deberá detectar.

91

Para elaborar un diagnóstico el forense social debe estar informado y haber recabado datos que refieran de interés para realizar una valoración diagnóstica completa de la situación problema, lo requiere la objetividad del forense social, evitando la formulación de interpretaciones o hipótesis, pero manteniendo el rasgo subjetivo sobre la meta a alcanzar.

Por lo tanto, podemos decir que el diagnóstico es un conocimiento claro de la situación desde la que actuará el perito para resolver el dilema y adoptar una decisión, detectando en éste las oportunidades que pueden resultar de utilidad y las que debe evitar. Esto es, que el diagnóstico debe permitir al experto detectar la situación, las posibles ventajas y los inconvenientes.

Posteriormente, el perito deberá preguntarse cuáles son las acciones que debe hacer desde la asunción de la responsabilidad en el tema. Esto conlleva tener en cuenta las circunstancias externas del asunto examinando objetivamente las ventajas y desventajas, así como las circunstancias internas midiendo sus propias capacidades, estableciendo una relación objetiva entre los actos y los resultados aceptando los errores y las limitaciones.

Esto último nos lleva a la prudencia, lo que permitirá analizar los aciertos, los recursos o las capacidades de las que dispone el especialista judicial. La prudencia confluye en el conocimiento de los principios generales y el conocimiento del asunto concreto.

Resumiendo, la prudencia es la capacidad de emitir una reflexión apropiada sobre lo que se debe hacer, lo que reporta sustentar el principio de objetividad.

De este modo, con la definición objetiva del diagnóstico del asunto se identifica el problema.

b). DECISIÓN.

A partir de la definición del diagnóstico, el forense social debe determinar los objetivos o fines a los que pretende llegar, lo que implica la intención de realizar un acto. El resultado no residirá en si la meta conseguida es buena o mala. La intención en ética indica algo valorable. Una meta que suponga una opción o resultado peor a la situación existente significa una mala decisión, o lo que es lo mismo, una decisión inmoral.

La intención no es lo único que valorará la decisión ética del perito. Se deben tener en cuenta los medios necesarios para alcanzar dicha meta. Por lo tanto, la deliberación acerca de los medios que conducen al fin marcado es otro elemento a considerar en la actuación ética del forense social.

Deben especificarse las diferentes alternativas. La definición de las opciones existentes orientará el proceso deliberativo que requiere a su vez una disposición jerárquica de los beneficios y posibilidades de cada una de las alternativas.

El estudio de las diferentes elecciones permite el conocimiento de contenidos éticos que pueden ser valorados mediante criterios éticos.

La deliberación de las diferentes opciones converge en la *elección* de una las acciones alternativas en base a la *preferencia*.

La elección de la buena decisión requiere *audacia* y alude a los recursos que debe conseguir el perito para lograrlo, y a la medición de los riesgos que hace falta considerar.

Las decisiones éticas serán aquellas que se establecen en la jerarquía de bienes implicados en el asunto.

c). EJECUCIÓN.

La *Ejecución* refiere a la implantación de la alternativa elegida, diseñando un plan de acción y/o como se llevará a cabo.

3. ANÁLISIS DE LA MORALIDAD DE LA DECISIÓN.

El análisis de la conducta ética no se realiza en función del resultado "bueno" o "malo", si no que se realiza mediante la acción, el acto, es decir, la forma de actuación del forense. Como condiciones para valorar como correcta una decisión deben tenerse en cuenta el cumplimiento de los principios éticos bajo los que debe regirse el comportamiento profesional siguiendo un planteamiento lógico racional sobre:

a) las acciones perpetradas,

b) los resultados generados,

c) las intenciones perseguidas.

De ahí que cada una de las partes deba ser correcta.

Puede suceder que las decisiones adoptadas por el perito forense no den los resultados estimados, en este caso deberá valorarse si en su comportamiento que:

a) los efectos de sus actos no eran previsibles,

b) los efectos de sus actos eran previsibles y evitables,

c) los efectos de sus actos fueran previsibles y a la vez inevitables (dilemas).

Ante estos últimos, deberá considerarse el *grado de responsabilidad*, lo que estará vinculado al *principio de proporcionalidad* en la repercusión de los actos.

CONCLUSIÓN

En este compendio hemos tratado de abordar la ética del perito forense desde dos ángulos. Por un lado, hemos planteado lo relativo a la conducta del perito orientada al buen ejercicio, y por otro, las pautas u orientaciones para ayudar en la toma de decisiones que éste debe afrontar en diferentes momentos de su ejercicio profesional.

Así pues, la conducta del forense social se debe encuadrar en un marco normativo que dirige y muestra las buenas prácticas del especialista judicial.

La consideración y el prestigio del perito judicial se debe a su buen hacer. Su rigor en la práctica pericial en consideración con los criterios éticos de la profesión y los que marcan los protocolos procedimentales deben preservar el ejercicio pericial, al igual que debe velar por los intereses de las partes exploradas.

Durante el desarrollo de la exploración social forense el profesional puede encontrarse ante situaciones en las que le resulte necesario analizar y valorar su posicionamiento ante la diferente toma de decisiones por cuestionarse un comportamiento moralmente y legalmente aceptado, lo que se define como el dilema ético y para lo que hemos desarrollado unas pautas de análisis en la toma de decisiones y su ejecución.

Toda acción del perito en el proceso forense debe ser previamente reflexionada y sopesada.

Ante los diversos dilemas en los que puede hallarse el especialista forense debe primar la buena práctica y el interés del mínimo daño para terceras personas.

El perito tras su reflexión ejecutará la opción decidida, sin embargo, esta no siempre satisfará los intereses más deseados de y para la parte, pero sí los mejores. Para ello, el forense debe tener en consideración los elementos valorados bajo criterios y paradigmas científicos y legales que no cuestionen los principios de beneficencia, de no maleficencia, justicia social, ausencia de juicios de valor, criterio de individualización, personalización, promoción de la persona, fomento de la igualdad de oportunidades, de derechos y equidad de participación, solidaridad, reconocimiento de los derechos humanos y sociales y su concreción en el ejercicio real de los mismos, autonomía, autodeterminación, responsabilidad y corresponsabilidad con las instituciones, coherencia profesional, integridad.

Solo considerando y teniendo conocimiento de estos aspectos podemos especializar la rama forense en nuestras disciplinas con el respeto que nos merecemos como profesionales.

FUENTES DOCUMENTALES

FUENTES DOCUMENTALES

- Asociación de Peritos Judiciales del Reino de España ASPERJURE. *Código Deontológico.*

- Comité Estatal de Ética de FEAPS. *La confidencialidad en el marco de FEAPS.* Documentos de Ética. FEAPS; 2011.

- Consejo General de Trabajo Social (España). *Código Deontológico del Trabajo Social.* 2012.

- Crous, L. y Valhondo,V. *Recomendaciones Deontológicas en Trabajo Social Forense.* Barcelona, 2016.
  ISBN 978-1-326-57288-4.

- Echeburua, E. *El secreto profesional en la práctica de la psicología clínica y forense: alcance y límites de la confidencialidad. Análisis y Modificación de conducta.* 2002; vol. 28 (120): 485-501.

- Federación Internacional de Trabajadores Sociales (FITS). *Código de Ética.* 2004.

- França-Tarragó, O. . *Introducción a la ética profesional.* 2002. Montevideo: UCU: Biblioteca Virtual de Ética.

- Grupo promotor del Comité de ética en intervención

social del principado de Asturias (2013). *Confidencialidad en Servicios Sociales. Guía para mejorar las intervenciones profesionales.* Oviedo.

- Consejería de Bienestar Social y Vivienda del Principado de Asturias. DL: AS00800-2013.

- Ruíz Rodríguez, Pilar. (2003). *El trabajador social como perito judicial.* Editorial Certeza. Zaragoza.

- Molina, A. Tesis doctoral: *Conocimiento y aplicación de los principios éticos y deontológicos por parte de los psicólogos forenses expertos en el ámbito de familia.* Barcelona, 2011.

- Rodríguez, A. *Ética general* (5a Edición). EUNSA Ediciones. Universidad de Navarra, S.A. Plaza Edición: Pamplona.

- Torres, I. *Aspectos éticos en las evaluaciones forenses.* Revista de Psicología. 2002. Universitas Tararconensis, 24, pág. 58-93.

LEGISLACIÓN.

- Organización Internacional de Estandarización ISO. Norma ISO/IEC27002.

- Ley Orgánica 6/1985, de 1 de julio, del Poder Judicial.

- Ley 11/1981, de 13 mayo, de modificación del Código Civil en materia de filiación, patria potestad y régimen económico del matrimonio.

- Real Decreto 1322/1981, de 3 de julio, por los que se crean los juzgados de familia.

- Ley 30/1981, de 7 de julio, por la que se modifica la regulación del matrimonio en el Código Civil y se determina el procedimiento a seguir en las causas de nulidad, separación y divorcio.

- Ley Orgánica 6/1985, de 1 de julio, del Poder Judicial. Ley 38/1988, de 28 de diciembre, de Demarcación y de Planta Judicial.

- Ley Orgánica 19/1994, de 23 de diciembre, de protección de testigos y peritos en causas criminales.

- Ley Orgánica 10/1995, de 23 de noviembre, del Código Penal.

- Ley Orgánica 5/1995, de 22 de mayo, del Tribunal del Jurado.

- Ley 1/1996, de 10 de enero, de Justicia Gratuita.

- Ley Orgánica de 15/1999, de 13 de diciembre, de Protección de Datos de Carácter Personal.

- Ley 5/2000, de 12 de enero, reguladora de la responsabilidad penal de los menores (modificada por la Ley 8/2006, de 4 de diciembre).

- Ley de Enjuiciamiento Criminal.

- Ley 1/2000, de 7 de julio, de Enjuiciamiento Civil. Ley Orgánica 1/2015, de 30 de marzo, por la que se modifica la Ley Orgánica 10/1995, de 23 de noviembre, del Código Penal.

- Ley Orgánica 19/2003, de 23 de diciembre, de modificación de la LO 6/1985, de 1 de julio, del Poder Judicial.

- Ley 4/2015, de 27 de abril, del Estatuto de la víctima del delito.

- Ley 42/2015, de 5 de octubre, de reforma de la Ley 1/2000, de 7 de enero, de Enjuiciamiento Civil.

- Ley Orgánica 13/2015, de 5 de octubre, de modificación de la Ley de Enjuiciamiento Criminal para el fortalecimiento de las garantías procesales y la regulación de las medidas de investigación tecnológica.

- Sentencia del Tribunal Supremo, 15 de noviembre de 2001.

- Reglamento (UE) 2016/679 del Parlamento Europeo y del Consejo, de 27 de Abril de 2016, relativo a la protección de las personas físicas en lo que respecta al tratamiento de datos personales y a la libre circulación de estos datos y por el que se deroga la Directiva 95/46/CE (Reglamento general de protección de datos).

CONTACTA CON LA AUTORA:

www.lcg-peritatgesocial.com

info@lcg-peritatgesocial.com

Ética y Deontología Forense para Peritos Sociales

ISBN: 9788413262703

9 788413 262703